ÇA M'AGACE !

Prix Femina 2008 pour *Où on va papa ?*, Jean-Louis Fournier est l'auteur de nombreux livres à succès dont *Grammaire française* et *impertinente, Mouchons nos morveux* et *Veuf*. Il est également l'auteur et l'interprète de deux adaptations au théâtre du Rond-Point, *Tout enfant abandonné sera détruit* et *Mon dernier cheveu noir*.

Paru dans Le Livre de Poche :

Arithmétique appliquée et impertinente

Le C.V. de Dieu

Grammaire française et impertinente

Il a jamais tué personne, mon papa

Je vais t'apprendre la politesse, p'tit con

J'irai pas en enfer

Mon dernier cheveu noir

Les Mots des riches, les mots des pauvres

Mouchons nos morveux

Où on va, papa ?

Le Petit Meaulnes

Poète et paysan

Roulez jeunesse

Satané Dieu !

La Servante du Seigneur

Veuf

JEAN-LOUIS FOURNIER

Ça m'agace !

Illustré par Jean Mineraud

ÉDITIONS ANNE CARRIÈRE

ISBN : 978-2-253-19457-6 – 1re publication LGF

« Jean-Louis,
tu n'es jamais content,
tu te plains toujours. »

Bonne-maman d'Arras

Les musiciens du métro jouent faux, les désespérés se jettent sous mon TGV, le serveur vocal ne me dit pas un mot gentil, une mite a fait un trou dans mon pull, les croissants sont mauvais, les moustiques me piquent, ma voisine joue du karcher, l'humoriste ne me fait pas rire, les camions m'empêchent de doubler, les pigeons me chient sur la tête...

Ça m'agace.

J'ai l'intention de me faire beau. J'ai cherché dans ma commode. J'ai sorti mon plus beau pull, le rose, je l'ai enfilé.

Un trou.

Dans la vie, tout le monde essaie de faire son trou, mais attention les mites, il y a des limites.

Je l'aimais beaucoup, il était en cachemire. C'était mon seul cachemire, je l'avais depuis dix ans, c'était ma mère qui me l'avait offert. Il est foutu.

S'il n'y avait eu rien d'autre à manger, je comprendrais. Mais il y avait, dans la commode, à côté et à discrétion, mes vieux pulls d'hiver en grosse laine, bien plus nourrissante. Pourquoi s'attaquer à mon préféré ?

Jusqu'à ce jour, je n'ai jamais mis de naphtaline dans mes armoires, ça donne une odeur de vieux. Tant pis, ça sentira le vieux.

Si encore elle avait choisi de manger un endroit caché, un endroit qu'on ne voit pas beaucoup… Un bout de manche, on peut toujours le raccourcir. Non, elle a choisi le devant. Le cœur de cible, l'endroit que tout le monde veut atteindre, la place d'honneur, là où on épingle la Légion d'honneur. La place du cœur, ce qui prouve qu'elle n'en a pas.

Je sais pourquoi. Le devant, c'est meilleur, c'est plus nourrissant.

C'est là où il y a des taches de sauce.

Je crève de chaud, tout est moite. Tout colle, les mains que je serre, les visages que j'embrasse. Ça dégouline partout, ça coule dans mon cou. Quand j'ouvre la fenêtre, j'ai l'impression d'ouvrir la porte d'un four.

Je suis cuit, je n'aimerais pas être une pizza. Quand va-t-il arrêter de nous faire suer, l'arrogant soleil ?

Huit heures au soleil et déjà 30 degrés à l'ombre. L'année dernière, il nous a déjà chauffé les oreilles. Il recommence.

Il va nous refaire le coup de la canicule. Il ferait

mieux d'être plus souvent là en demi-saison. Pourquoi, pendant les week-ends d'automne, quand il commence à faire froid, il s'éclipse ?

Il se tire aux Seychelles. On le voit chaque année avec les retraités. Un week-end aux Seychelles, c'est plus plaisant qu'un week-end en Picardie.

Heureusement, j'ai appris qu'il vieillissait. Il a des taches. Bien fait pour lui.

J'ai seulement un peu de répit la nuit, quand il est couché. Comme les parents quand les sales gosses dorment.

Le jour, il me nargue. J'ai souvent envie de lui dire, comme à un chien : « Couché. »

Dehors, j'ai l'impression d'être dans un commissariat, avec une lampe devant les yeux pour m'aveugler et me faire avouer.

Il a de la chance qu'on ne puisse pas le regarder dans les yeux.

Tu es fier d'attaquer un homme couché ? Petit lâche.

Qu'est-ce qu'il t'a fait, l'homme couché, pour que tu t'acharnes sur lui pendant toute une nuit ? Il ne demandait rien, il était fatigué, il voulait simplement dormir. Tu as gâché sa nuit.

Pourquoi, la nuit, tu ne dors pas, comme tout le monde ?

Tu vas me répondre que tu étais en situation de légitime défense. C'est faux, j'ai attendu une heure avant de décider de t'écraser. Tu as échappé au pire, l'arme chimique, la bombe insecticide qui fait mourir dans des souffrances atroces. Auparavant, j'avais tenté des négociations, je t'ai laissé le temps de réfléchir, le temps de mesurer le risque que tu prenais. C'est toi qui as commencé ; moi, je n'ai jamais voulu te piquer. Si encore tu étais silencieux…

Le pire, c'est, quand on s'est foutu une grande claque dans la figure pour t'écraser et qu'on pense avoir réussi, d'entendre, quelques minutes plus tard, alors qu'on commence à s'endormir, ta petite musique diabolique. Là, on devient fou, on est capable de tout.

J'ai appris que, dans les colonies, où tu te fais appeler tigre pour impressionner, tu continues à t'attaquer aux faibles.

Tu transmets le paludisme, la dengue et la filariose, tu fais mourir un tas de gens qui ne t'ont rien fait. En t'écrasant, je fais une bonne action. Je serais toi, j'aurais honte d'exister.

Évidemment, tu as un alibi, tu nourris les oiseaux.

On va dire aux oiseaux de manger des frites.

L'année dernière, ils sont venus s'installer sous le toit de ma maison. Ils n'ont pas eu la courtoisie de me demander la permission. Je suis sûr qu'ils n'ont même pas de permis de construire.

La famille s'est agrandie rapidement. Les ados passent leur temps sur mes appuis de fenêtre, je suis épié par leurs yeux ronds et vides, je ne me sens plus chez moi. Si au moins ils disaient bonjour…

Et puis ne pourraient-ils pas roucouler un peu plus tard, le dimanche matin ? Si encore ils laissaient l'endroit aussi propre qu'ils l'ont trouvé en arrivant... Ces bons à rien font leurs besoins sans arrêt et sur place, parfois en volant. L'exemple vient d'en haut, ils le voient faire par leurs propres parents.

Je n'ose plus faire asseoir mes visiteurs dans le jardin. Récemment, alors que, installés dehors, nous prenions le thé, une amie a reçu sur sa capeline blanche quelque chose de liquide. Ça a fait une grosse tache violette, c'était la saison où ils mangent des cassis. J'ai ri.

Mon amie ne reviendra plus.

J'en ai marre des pigeons.

Je vais aller chier dans leur nid.

Avant, pour ouvrir une boîte de sardines, on prenait une clé, une clé à sardines. On posait la boîte bien à plat sur la table, on introduisait dans l'encoche de la clé la languette de métal qui dépasse du couvercle, et on tournait. Le couvercle s'enroulait autour de la clé comme un rideau de théâtre et les sardines apparaissaient dans leur splendeur.

On les mangeait avec une tartine de beurre. C'était le bonheur.

Aujourd'hui, on a l'ouvre-boîte intégré. Il a été inventé pour les astronautes. Parce que, quand on se trouve sur la Lune avec une boîte de sardines, si on a oublié son ouvre-boîte, on est mal pris. On peut mourir de faim.

Avec l'ouvre-boîte intégré, ça paraît plus facile d'ouvrir la boîte. On tire sur un anneau, le couvercle se soulève facilement. Le début, c'est bien ; la fin, c'est une autre histoire. C'est très difficile de détacher le couvercle de la boîte, il faut tirer très fort, il ne vient pas, vous tirez de plus en plus fort, enfin il vient. L'huile avec.

Je regarde la grosse tache sur mon pantalon. Je déteste le progrès.

Je n'ai plus envie de vivre avec mon temps.

Quand j'irai sur la Lune, j'emporterai ma clé à sardines.

J'ai beaucoup de respect pour le préfet Poubelle qui, coïncidence étonnante, a inventé la poubelle.

La poubelle du préfet était discrète, elle était distinguée, elle était noire et on sait que le noir va avec tout. On la sortait le matin en la prenant par la main, quand tout le monde dormait, et tout le monde pouvait continuer à dormir. Aujourd'hui, hélas, il faut vivre avec son temps, on nous a imposé des poubelles modernes.

Au lieu d'être discrètes et habillées de noir,

elles sont affublées de couleurs tape-à-l'œil et maquillées comme des filles de mauvaise vie.

Elles sont vulgaires avec leurs couvercles orange, vert pomme ou jaune citron. Quand elles sont rangées dans le jardin à côté d'un rosier en fleur, on ne voit plus les roses. En plus, elles sont persistantes, elles ne perdent pas leur couvercle l'hiver.

Mais le pire est ailleurs : elles ont des roulettes. L'ingénieur qui a conçu la poubelle à roulettes a dû se poser la question suivante : comment faire le plus de bruit possible avec une poubelle ?

Il a utilisé la poubelle comme une caisse de résonance. Fallait y penser, il y a pensé.

Maintenant, quand on entend une poubelle qui roule, on entend un orage qui gronde.

Fini les grasses matinées. Je suis sûr que ça doit réveiller le préfet Poubelle et l'empêcher de reposer en paix.

J'aimais bien le préfet Poubelle, j'aime moins le préfet à Roulettes.

Avant, les feuilles mortes se ramassaient à la pelle sur une musique de Joseph Kosma, les souvenirs et les regrets aussi. Pourquoi on a remplacé la musique de Kosma par le rugissement d'un moteur à explosion ?

On a accroché au dos des balayeurs une horrible machine qui fume, qui pue, qui fait un bruit d'enfer et qui souffle les feuilles n'importe où. Certains jeunes balayeurs sont fiers de la nouvelle machine, ils se prennent pour Supercopter, ils croient qu'ils vont s'envoler, comme au cinéma. Ils ne s'envolent jamais.

Les vieux regrettent leur balai sur lequel ils pouvaient s'appuyer pour causer.

Avec le bruit des moteurs, les jeunes et les vieux ne peuvent plus s'entendre.

« Il pleut sur la ville comme il pleut sur mon cœur. »

Ça fait quinze jours que ça dure, j'ai le cœur noyé. Quand il ne fait pas beau, ne cherchez pas, le responsable est loin, c'est l'anticyclone des Açores.

Quand la météo annonce du mauvais temps, elle cite toujours son nom. Il est de tous les mauvais coups.

Il n'est jamais là quand il faut, il est absent quand on a besoin de lui, présent quand on s'en passerait bien.

L'anticyclone est un gros égoïste, il ne pense qu'à lui.

Son plaisir doit être de nous gâcher le temps et la vie. Il réussit assez bien.

Les Açores, c'est un archipel qui appartient aux Portugais. Personne ne le sait, ils ne s'en vantent pas. Il compte neuf îles, Flores, São Miguel, Terceira et six autres dont, par charité, je tairai le nom.

Les habitants des Açores sont très discrets, on ne les voit jamais. Ils ne sortent pas, ils restent terrés chez eux, ils sont honteux. Ils ne voyagent pas à l'étranger, ils auraient peur de se faire lyncher.

Mort aux Açores.

Je viens d'apprendre que Kévin venait de quitter Priscilla, que Brad avait couché avec l'ex de Tony, que Betty est tombée amoureuse d'un sumo, que Virginie a surpris son ami tout nu en train de faire des choses à son chien.

Pourquoi je sais tout ça ?

Chez le marchand de journaux du village où je passe mes vacances, l'unique exemplaire du *Nouvel Observateur* avait été vendu, je me suis rabattu sur un journal sans qualité, il y en avait des quantités.

Dans le *Nouvel Observateur*, l'été, il y a des jeux culturels. Dans le journal dont je dois me contenter, on est plus dans le culturisme. Un jeu délicat est intitulé : « À qui sont ces fesses ? »

Que les adultes lisent ce genre de journal n'est pas bien grave ; pour eux, le mal est fait. Dans leur cerveau en béton, rien ne peut plus se graver ni s'aggraver. Mais penser que ces journaux traînent dans les maisons où trottent des enfants curieux, au cerveau tendre, c'est plus grave, tout s'y grave.

À la campagne, les gens n'ont pas besoin de journaux intelligents ?

Les crevettes grises batifolaient dans l'eau bleue, les daurades faisaient la sieste, les méduses méditaient, les maquereaux scintillaient. C'était un beau jour de l'été, paisible, calme et tranquille.

Il est arrivé, il a tout gâché.

Un bruit énorme, de la fumée, une odeur de brûlé, des remous. Sur un scooter des mers, un crétin s'amuse à faire des ronds sur la mer. Il ne va nulle part, il fait seulement du bruit. Il n'a pas honte. Au contraire, il est fier. Fier d'avoir réveillé et terrorisé les poissons endormis et les vacanciers assoupis sur la plage. Des vacanciers venus au bord de la mer pour entendre le silence. Des vacanciers qui habitent au bord d'une route et qui, pour s'endormir, ne comptent pas les moutons mais les camions.

Le crétin s'en fout, il veut en foutre plein la vue, plein l'ouïe, montrer qu'il est riche et con à la fois.

J'en veux beaucoup à celui qui a inventé le scooter des mers, maudit engin qui vient troubler le silence de la nature et nous empêche d'entendre le bruit de la mer et le chant des sirènes.

C'est un malfaiteur de l'humanité.

Je sors de chez le coiffeur, je viens de me faire couper les cheveux très court. Je le croise, il me demande avec beaucoup d'à-propos : « Tu as été chez le coiffeur ? »

Le jour où je sortirai de l'hôpital où on m'aura amputé de la jambe, il est capable de me demander : « On t'a coupé la jambe ? »

Chaque année, à la fin des vacances, quand je viens de rentrer, il me demande : « Tu es rentré de vacances ? »

J'ai la tentation de lui répondre non.

Non, je ne suis pas allé chez le coiffeur, je sors de chez le pâtissier, c'est lui qui m'a coupé les cheveux, je voulais un peu changer, habituellement c'est le garagiste.

Non, on ne m'a pas coupé la jambe, c'est un trucage.

Non, je ne suis pas rentré de vacances. Comme tu me vois là, je ne suis pas là, je suis au bord de la mer et je ne suis pas près de rentrer, je n'ai pas trop envie d'entendre tes questions à la con.

Sur mon lit de mort, il est capable de me demander : « Alors, tu es mort ? »

Pourquoi, chez certains fleuristes, les bouquets sont emballés avec du papier sur lequel il y a déjà des fleurs dessinées ?

Pour qu'on sache ce qu'il y a dedans ? Pour faire comme le boucher qui emballe son bifteck dans du papier sur lequel on a dessiné un bœuf ?

Ou alors pour faire plus joli ?

Quand je veux des fleurs, je les choisis moi-même. Les fleurs imprimées sur le papier, je ne les aurais pas choisies, je ne les aime pas.

Elles sont moches. En plus, elles m'empêchent de voir les vraies fleurs.

S'il y a déjà des fleurs sur votre papier d'emballage, ce n'est peut-être pas la peine d'en ajouter des fraîches à l'intérieur.

Vendez seulement le papier.

Tu n'as pas honte ? Tu ne le méritais pas. Il était trop bien pour toi. Il y avait de la bonté et de l'intelligence dans ses yeux. Dans les tiens, il n'y a rien. Ton regard est vide.

Pour toi il était prêt à tout. Pour toi il se serait fait tuer. Toi, tu n'as pas été capable de lui trouver une petite place à l'arrière de ton 4 × 4 pour l'emmener en vacances. Tu as préféré emporter le poste de télévision pour ne pas louper *Vidéo Gag* sur TF1.

Je pense à ton gamin. Il l'aimait bien, le chien. Fais attention, tu lui as peut-être donné une idée. Un jour, il aura envie de t'abandonner dans la forêt avec une bouteille d'eau minérale et un morceau de pain.

Je te joins une lettre, c'est pour ton chien, tu la lui feras suivre.

Cher chien,

Ce petit mot pour te souhaiter bon courage. Avec ton flair, tu es capable de retrouver ton chemin. Si tu retrouves ta maison, n'y rentre surtout pas. Un maître comme celui-là, vaut mieux pas de maître du tout. Va voir ailleurs.

Pense quand même que les hommes ne sont pas tous comme lui.

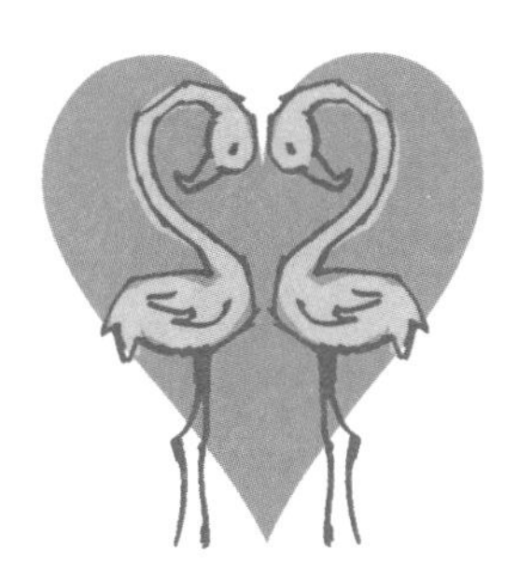

J'adore les animaux, ils me bouleversent. Dans leur regard profond, j'entrevois le grand mystère de la nature.

Avant, j'aimais bien les films animaliers, maintenant je sature. Il y en a trop. À toute heure, sur toutes les chaînes, on a droit à la parade nuptiale du flamant rose, avec les mêmes images, la même musique, le même commentaire.

Qu'on leur foute un peu la paix, aux flamants roses.

Qu'est-ce qu'on penserait, nous les humains,

si on avait à nos basques un cameraman en train de filmer notre parade nuptiale ?

Demande-t-on au singe l'autorisation de le filmer quand il s'épouille ou se gratte le cul ?

Demande-t-on à l'éléphant l'autorisation de le filmer quand il est en train de pisser discrètement derrière un baobab ?

Demande-t-on aux oiseaux l'autorisation de les filmer quand ils dorment dans leur nid ?

Et le droit à l'image ?

Le paparazzo d'oiseaux travaille en toute impunité. Il ne craint rien. Les animaux ne sont pas comme les princesses de Monaco.

Les oiseaux n'ont pas d'avocat.

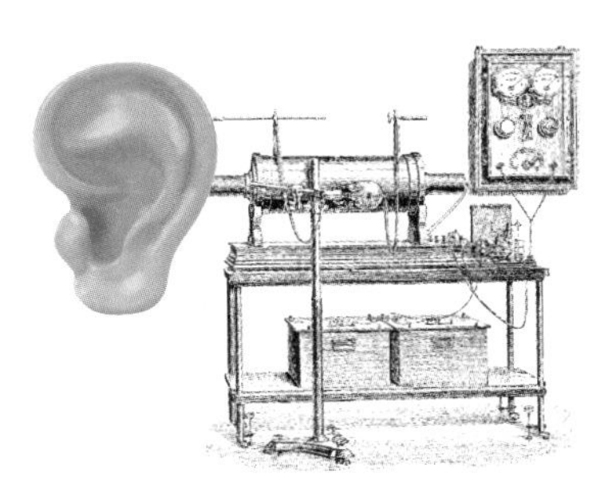

J'aimerais bien vous avoir en face de moi, vous dire enfin, entre quatre yeux, vos quatre vérités et éventuellement, après, vous trucider, parce que vous êtes un pousse-au-crime, Monsieur le serveur vocal.

C'est impossible, vous ne vous montrez jamais. Vous vous cachez, vous êtes un lâche. Vous ne manquez pas de culot, alors que vous ne nous rendez jamais service, de vous faire appeler « serveur ».

Vous nous donnez la désagréable impression de ne pas nous écouter. Vous nous coupez la parole, vous répétez la même chose, comme si nous étions des demeurés. Quand on vous pose une question, vous faites semblant de ne pas avoir entendu.

Plus grave, vous ne devez pas avoir beaucoup de sensibilité, vous restez sourd à notre détresse.

Vous devriez vous douter que, quand on appelle la police, les pompiers, le Samu, l'Assurance maladie, la caisse vieillesse, Écoute Cancer, SOS Poison, SOS Suicide, SOS Désespoir, on n'est pas au mieux. On aimerait trouver une oreille attentive et compatissante. Pourquoi pas un mot gentil, une petite phrase consolante.

Quand on appelle Allô Ciné, vous annoncez avec la même voix de camelot hilare *Le Gendarme de Saint-Tropez* et *Shoah*.

Vous savez pourquoi, dans la pièce de Cocteau *La Voix humaine*, la comédienne est à bout de nerfs et répète la même chose ?

Elle n'a pas au bout du fil un amant qui la trompe, un amant qui ment.

Elle a, au bout du fil, un serveur vocal.

Pourquoi les exclusions dans les contrats d'assurance, les certificats de garantie, les exceptions dans les offres promotionnelles, les conditions particulières qui nous privent de réductions, les produits chimiques utilisés dans l'agroalimentaire, en gros tout ce qu'il est important de savoir, est imprimé en petit ? Comme si c'était fait exprès pour qu'on ne le lise pas. C'est le hasard, ou c'est l'imprimeur ?

Vous allez répondre que vous avez des ordres. Je vais vous dire que, parfois, il faut savoir désobéir. Il ne faut pas vous faire le complice de tous ceux qui veulent nous tromper.

Ce que vous faites là n'est pas très honnête.

Et je vous le dis en gros caractères.

Je me suis installé dans un coin fenêtre. Je suis bien. J'ai douze stations de métro, soit quinze minutes, le temps de relire le dernier chapitre de mon manuscrit que j'apporte à l'éditeur. Tout va bien. Enfin, tout allait bien.

Un homme chevelu et jovial est entré dans le wagon. Il souhaite bon voyage à tout le monde, c'est bien aimable de sa part. Mais il a un accordéon. Je vais avoir droit à un pot-pourri viennois et à *Perle de cristal*, avec autant de fausses notes que de fausses perles. Je vais devoir relire le récit de la mort de ma mère sur fond d'accordéon. Ma pauvre mère méritait mieux, elle aimait Brahms. Ensuite, il va passer en tendant son chapeau. Je ne vais rien donner. Je ne donne plus.

J'ai décidé que je donnerai le jour où le musicien viendra me présenter une petite pancarte sur laquelle il aura écrit :

« Une petite pièce, s'il vous plaît, et j'arrête de jouer. »

Hier, j'ai eu la mauvaise idée d'acheter des croissants à votre boulangerie. J'écris « mauvaise idée » parce que vos croissants sont vraiment mauvais.

Courageusement, le lendemain, je suis venu vous le dire. Vous m'avez sèchement répondu : « Vous êtes le premier à me le dire. »

C'est la première fois qu'on me reproche d'être le premier, moi qui me suis fait engueuler toute mon enfance parce que j'étais le dernier. Je n'avais jamais la médaille qu'on donnait au premier.

Sachez qu'il faut toujours un premier. Je suis le premier, mais peut-être pas le dernier. Vous devriez me remercier. Si j'étais commerçant, je souhaiterais avoir l'avis de mes clients.

Les autres, ceux qui ne sont pas les premiers à le dire, ils ne vous diront rien. Ils ne reviendront jamais, ils iront acheter leurs croissants ailleurs.

Moi, je reviens. Je ne me fous pas de vos croissants, ils me sont chers, très chers, ils sont plus chers qu'ailleurs.

Si je passe du temps à vous l'écrire, Madame la boulangère, c'est une marque de confiance. Je vous crois capable de faire des bons croissants.

Si un jour vos croissants sont bons, je serai le premier à vous le dire.

Pourquoi voulez-vous à tout prix doubler le camion qui est devant ?

Vous voyez bien que vous n'allez pas y arriver. Il roule à la même vitesse que vous et il n'a pas l'intention de ralentir. Au contraire, il accélère quand il sent que vous allez le dépasser. Si vous arrivez à le doubler, il va continuer à vous coller et même essayer de vous doubler à nouveau. De toute façon, vous vous retrouverez au péage à la même heure.

À quoi ça rime ? Pourquoi vous jouez à ça ? Vous n'êtes pas raisonnable. Vous êtes un grand garçon maintenant, un grand garçon velu.

Pourquoi vous voulez être le premier ? Question d'honneur national ? C'est un étranger qui conduit le camion qui est devant ? Ce n'est pas pour le plaisir de faire de la conduite sportive, votre vitesse est limitée et il n'y a même pas de virages. Ou alors, vous en avez marre. Marre de rester des heures avec devant les yeux le même spectacle, le cul d'un camion sur lequel est écrit « Transports internationaux ».

Si vous doublez, vous allez vous retrouver encore au cul d'un camion, d'une autre couleur, avec « Transports internationaux » écrit dans une autre langue.

Peut-être devrait-on songer à décorer l'arrière des camions. Coller des reproductions de tableaux célèbres. Ce serait plus agréable pour vous de faire Paris-Marseille sous les yeux de l'*Olympia* de Manet, une dame toute nue qui n'a pas froid aux yeux.

Je pense que le problème est ailleurs. Je suis sûr que vous êtes ravi de savoir que, quand vous doublez, il y a derrière vous des centaines de voitures qui sont obligées de ralentir avec, dedans, des conducteurs qui vous maudissent.

Vous avez le fond mauvais, ou vous êtes

simplement jaloux. Jaloux des automobilistes qui peuvent aller plus vite que vous et qui conduisent des jolies voitures légères avec à leur côté une jolie femme, légère aussi. Vous, vous êtes tout seul dans votre engin qui pèse des tonnes. Et quelquefois, vous avez à vos côtés une femme qui pèse aussi des tonnes. Vous êtes triste comme le mari d'une femme obèse.

Je pense tout ça, cher Monsieur le chauffeur routier, mais je ne vous le dis pas, parce que je suis lâche.

J'ai pas envie de me faire casser la gueule.

Je voulais vous donner des nouvelles. Je sors demain de l'hôpital, en partie réparé, mais je vais devoir garder mes cannes un petit moment.

Je ne vous ai pas oublié, ni votre taxi. Je me souviens de tout, surtout du pare-brise. Il était décoré comme une vitrine de Noël. Accrochée au rétroviseur, une grosse grappe de raisin en passementerie, couleur violette, se balance. Au-dessus, sur toute la longueur, une guirlande avec des petites ampoules multicolores qui clignotent. À droite de la grappe, dans un cadre doré, il y a la photo en couleurs d'un chien policier, on dirait qu'il va mordre sainte Thérèse de Lisieux qui se balance juste à côté.

Ça pue l'encens, j'ai l'impression d'être dans une église, le tableau de bord ressemble à un autel. Je devrais être rassuré, je ne le suis pas. Vous venez d'éviter de justesse un cycliste, il devait être caché par sainte Thérèse de Lisieux.

Vous m'avez demandé si le décor me plaisait. Je vous ai répondu : « C'est gai. » Vous m'avez commenté, à la façon d'un guide du Louvre, chaque œuvre.

La grappe de raisin est un cadeau de votre belle-mère qui est portugaise, c'est fait à la main. Le chien policier, il est mort il y a deux ans, il s'appelait Rex.

Vous avez manqué d'emboutir une poussette, vous avez simplement dit « Merde » en donnant un coup de volant. Je vous ai alors demandé si la décoration du pare-brise ne vous cachait pas un peu la vue. La réponse a été nette et précise, je ne l'oublierai jamais. Vous avez dit « Au contraire », et il y a eu un bruit énorme.

On était rentrés dans le décor.

Tous les jours, j'entends à la radio des campagnes de dépistage, des statistiques effrayantes. Il faut que j'aille faire des examens, des analyses, des scanners. Il faut que j'en parle à mon médecin, à mon pharmacien, sinon… Sinon, quoi ? Je vais mourir ?

Pour ne rien vous cacher, je m'en doutais un peu, c'est une tradition dans la famille. Mon arrière-grand-père est mort, mon grand-père est mort, mon père est mort, je crois que c'est héréditaire.

Actuellement, vous me proposez un dépistage du cancer colorectal. Vous m'en parlez tous les jours à la radio. J'ai, comme tout le monde, une trouille panique du cancer. Je crains tous les cancers. Le colorectal, c'est un nouveau, je n'y pensais pas. Maintenant, grâce à vous, j'y pense. Ça me fait une nouvelle inquiétude.

Pour nous rassurer, vous avez choisi une voix féminine minaudante. Elle nous dit que, pris à temps, le colorectal ne tue qu'une personne sur dix. Les neuf autres pourront choisir un autre cancer, il y a l'embarras du choix.

Monsieur le ministre, pourquoi me conseillez-vous toujours d'aller parler à mon médecin et à mon pharmacien ? Je n'ai rien à leur dire et eux, rarement une histoire amusante à me raconter. Je n'ai surtout pas envie qu'ils m'annoncent une nouvelle pas drôle. Moins je les vois, mieux je me sens.

Monsieur le ministre, j'ai peur que vous nous portiez la poisse.

Vos messages, je me les mets dans le colorectal.

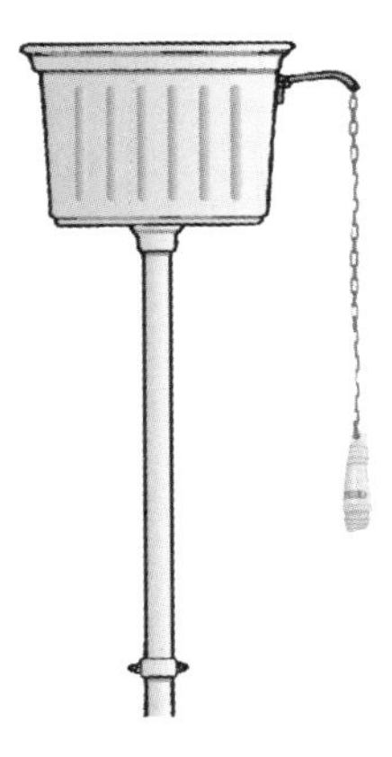

J'ai horreur des gens qui vont bien. Quand j'en ai un au bout du fil, j'ai envie de raccrocher, je n'ai rien à lui dire.

Je trouve les gens heureux parfois vulgaires, ils rient fort, ils sont débraillés et habillés de couleurs voyantes, ils étalent leur joie de vivre sans pudeur.

On croirait qu'ils n'ont dans la tête que des histoires drôles.

Ils n'ont pas la distinction et la réserve des désespérés, pâles et verdâtres, grandes asperges vêtues d'amples manteaux noirs même l'été, qui avancent lentement, silencieusement, en rasant les murs.

Je ne peux m'empêcher de penser que celui qui va toujours bien n'a pas beaucoup d'imagination. Il ne regarde jamais le ciel. Regardez, audessus de vous, le ciel, il est noir. Il s'y prépare de somptueuses catastrophes, des orages dévastateurs, des essaims de frelons en furie, des invasions d'ovnis remplis à ras bord de bactéries.

Il continue à vivre, insouciant et gai. Il risque de passer à côté du malheur.

J'ai plaisir à avoir au bout du fil la voix lasse et à peine audible du vrai désespéré. Celui dont les paroles ressemblent à des dernières paroles, celui dont les volontés sont dernières. Celui qui semble m'appeler de l'au-delà. Celui pour qui les jeux sont faits et rien ne va plus. Celui qui connaît par cœur Schopenhauer. Celui qui s'est mis la tête dans le four et va ouvrir le gaz, celui qui se tient sur le bord de sa fenêtre au quinzième étage.

Il veut faire le saut de l'ange, il va sauter sans parachute.

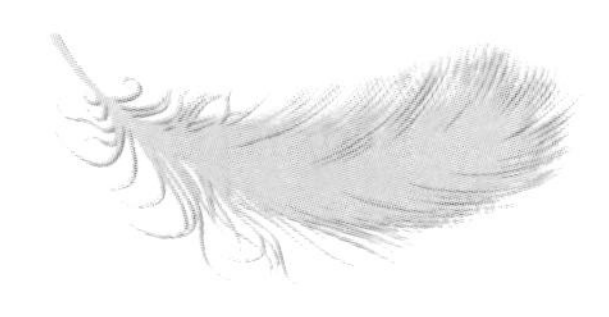

J'aime bien votre journal, les analyses pertinentes sur la situation politique, les critiques de livres et de films.

Vous m'avez bien déçu, cet été, Monsieur le rédacteur en chef du *Nouvel Observateur*. Vos numéros sur l'île de Ré sont plats comme des limandes. Et ne parlons pas de vos bancs d'essai.

Qu'est-ce qui vous arrive ?

Vos journalistes sont en vacances, vous avez dû engager des stagiaires de *Cinquante millions de consommateurs* ?

La semaine dernière, je suis tombé sur le

palmarès national des hôpitaux. J'ai cru un moment m'être trompé de journal. Pas du tout.

Vous notez sur 20 les différentes interventions. Il y a même un tableau d'honneur avec les meilleures notes.

La meilleure note est toujours 19,6 dans toutes les spécialités. La plus mauvaise 13,2. Il n'y a heureusement pas de note en dessous de la moyenne, ni de zéro.

Vous avez pensé à celui qui doit prochainement se faire opérer de la hanche ? Il découvre dans votre journal que son hôpital n'a obtenu que 13/20 en prothèse de hanche. En revanche, il a obtenu 19/20 en vésicule biliaire.

Qu'est-ce qu'il doit faire ? Chercher un hôpital auquel vous avez donné une meilleure note ? Impossible. Le plus proche est à plusieurs centaines de kilomètres de son village.

Au lieu de se faire changer la hanche, il n'a qu'à se faire retirer la vésicule biliaire.

Avant, j'aimais beaucoup le dimanche. Surtout au printemps ou à la fin de l'été. Je m'installais dans mon petit jardin. Je regardais le ciel, j'écoutais les oiseaux chanter. Je rêvais au paradis.

J'écris « je rêvais ». L'imparfait indique une action qui est passée.

Depuis, ma voisine s'est mise au karcher. Elle en joue tous les dimanches après-midi. Elle joue avec passion, avec frénésie, *allegro vivace*, pendant des heures. Elle nettoie au karcher sa terrasse de deux mètres cinquante, centimètre par centimètre.

C'est effrayant, une passion, ça vous dévore, on en perd la tête.

Je suis sûr que si elle ne travaillait pas pendant la semaine, elle passerait toute la rue au karcher, puis le boulevard, les grandes avenues, les Champs-Élysées, l'Arc de triomphe, tout Paris et la grande banlieue. Pourquoi ne ravalerait-elle pas la France qui a grise mine ?

Quelquefois, j'ai envie de lui dire que j'en ai ras les oreilles de son karcher, qu'elle m'empêche d'écouter Schubert. Mais je me retiens, je croise son regard et je rentre bien vite chez moi. J'ai peur qu'elle me passe au karcher.

Pourquoi elle ne se met pas plutôt au piano ?

Je suis prêt à tout, même à faire assassiner Beethoven.

Quand j'étais petit, avant une visite qui risquait d'être longue, on me demandait : « As-tu pris tes précautions ? » Ça voulait dire : « Est-ce que tu as été faire pipi ? »

C'était un bon conseil, une sage précaution. Depuis, les précautions ne sont plus sages. Elles ont tout envahi. Pour nous gâcher la vie, elles se sont groupées en Principe.

Le principe de précaution fait maintenant partie des grands principes.

Les alpinistes vont pouvoir ranger leur piolet, les navigateurs solitaires leur bateau, les pilotes leur automobile, les acrobates leur trapèze, les fil-de-feristes leur fil, les lanceurs de couteaux leurs couteaux, les dompteurs de tigres leurs tigres, et aller pointer au chômage.

Les promeneurs aussi. Quand on sort de chez soi, on peut tomber, se casser une jambe, se faire mordre par un chien, se faire écraser par une voiture, recevoir un pot de géraniums sur la tête, se faire assassiner…

Ce n'est pas prudent de sortir. Ou alors bien couvert, pour aller demander conseil à son pharmacien.

Est-ce que c'est vraiment prudent de vivre ?

Pourquoi au journal télévisé ils font aussi souvent des micros-trottoirs ?

Les journalistes ont la flemme, ou ils n'ont rien à dire ? Vous avez dû remarquer que ceux à qui ils tendent leur micro n'ont rien à dire non plus.

Le voisin de la maison qui a brûlé parle longtemps pour dire qu'il n'a rien à dire. Il n'a rien vu, rien entendu, il dormait. Celui qui ne dormait pas n'a rien pu voir à cause de la fumée.

L'inondé qui a les pieds dans l'eau déclare qu'il n'a jamais vu ça, qu'il a tout perdu, et il ajoute ses larmes à l'eau.

Les voisins parlent rarement des victimes, ils parlent d'eux. Ils imaginent que la catastrophe aurait pu leur arriver, à eux. Quand un enfant a disparu, les mères qui pleurent le plus, ce sont celles qui ont un enfant du même âge.

Il ne leur reste plus de larmes pour les victimes.

Pourquoi elle me souhaite « Bonne journée » ? Elle ne me connaît même pas et elle ne sait pas ce que je vais faire de ma journée. Aujourd'hui, elle tombe mal, j'enterre ma mère.

Je suis sûr qu'elle s'en fout totalement de ma journée. Je lui ai demandé si, sincèrement, elle avait envie que je passe une bonne journée. Elle m'a avoué qu'elle s'en foutait, qu'elle souhaitait des centaines de bonnes journées par jour à des gens qu'elle ne connaissait pas.

C'est le patron qui oblige la caissière à nous souhaiter bonne journée.

Il pense que son amabilité et le souci qu'elle prend de moi vont m'inciter à ouvrir plus largement mon porte-monnaie. Pour le patron, je ne suis pas une personne, je suis un porte-monnaie. Si je n'avais pas de porte-monnaie, je n'existerais pas et je me ferais virer du magasin le pied au cul. Je n'aurais pas droit à « Bonne journée » mais à « Bon débarras ».

Les mots « bonne journée » sont des mots qu'on a usés, ils n'ont plus de sens, plus de goût, comme les escalopes de dinde industrielle du supermarché.

Quelquefois, elle s'emmêle les pinceaux, elle dit « Bonne journée » à 8 heures du soir, ou « Bonne soirée » à 9 heures du matin, ou alors « Bon appétit » ou « Bonne santé »… Elle mélange tout, elle ne sait plus ce qu'elle dit.

Si vous avez envie que je passe une bonne journée, ne dites rien.

Souriez-moi.

Et je passerai une bonne journée.

Je suis tout nu dans une cabine. Devant moi, une dame sans âge en blouse bleue, l'air triste.

Elle a un tuyau à la main d'où sort un filet d'eau. Il paraît que c'est de l'eau de mer. Elle m'arrose comme si j'étais une voiture sale ou un ficus.

La dame est hydrothérapeute. Je suis en thalassothérapie. Quel joli mot, un mot savant qui vient du grec et qui impressionne. « Thalassa », la mer, « thérapie », qui soigne.

Je vais me refaire une santé. L'ambiance est calme, à mi-chemin entre la maison de retraite, l'établissement de soins palliatifs et la morgue.

La musique et la lumière sont douces. On marche à pas lents, on ne se parle pas. On n'est pas là pour rire, de toute façon il n'y a pas de quoi rire. Quoique, les charlottes en plastique qu'on nous a distribuées nous font des têtes pas tristes. Entre les soins, on peut se cultiver, *Paris Match* et *Voici* couvrent des tables basses.

Les hydrothérapeutes sont gentils et sérieux, conscients de l'importance de leur mission. Parfois, contre un supplément, ils nous badigeonnent avec de la crème d'algues et du jus de pétoncles qui facilitent les échanges percutanés reminéralisants.

Surtout, ce sont eux, c'est leur tâche principale, qui appuient sur les interrupteurs pour mettre en route ou arrêter les bains hydromassants qui permettent l'absorption transcutanée d'oligoéléments et de sels minéraux présents dans l'eau de mer.

Mais où est la mer ?

La mer, on ne la voit pas, elle est en prison. Elle est enfermée dans des bonbonnes, elle circule dans des tuyaux longs comme des corridors.

Heureusement, je sais qu'elle n'est pas loin, la vraie. Par la fenêtre, on doit la voir. Je m'échappe. Je saute par la fenêtre, je cours vers la mer, la mer en liberté, je me jette dedans, elle me fouette, me masse, me brasse, me fracasse, me lessive, me centrifuge, m'essore, me tonifie, me fortifie. C'est ici, la thalassothérapie.

Je me suis sauvé sans régler la facture de mon forfait pleine forme au jus de pétoncles.

Je vous ai fait récemment, chère Madame, une déclaration. Il ne vous a pas échappé que, cette année, j'ai gagné beaucoup d'argent.

Vous devez être contente, vous savez que je vais vous en faire profiter, on va partager. Je vais payer beaucoup d'impôts et c'est normal.

Dans votre dernier courrier, vous me signalez le montant de la grosse somme que je vais devoir payer, et vous ajoutez deux informations.

La première : « Toute somme non acquittée

à la date limite de paiement sera majorée de 10 %. »

La seconde : « Pour toute somme d'un montant supérieur à 50 000 euros, le paiement par paiement direct en ligne, prélèvement à l'échéance ou virement est obligatoire. À défaut, une majoration de 0,2 % du montant dû est appliquée. »

Que des menaces.

Vous allez vous moquer, mais je vous avoue que je m'attendais à un petit mot gentil, une petite phrase de remerciements, de félicitations. Vous cachez bien votre joie.

Si, cette année, j'ai gagné beaucoup d'argent, c'est que j'ai bien travaillé, et peut-être mieux que d'habitude.

Vous croyez vraiment que je vais avoir envie de faire mieux la prochaine fois ?

J'apprends par la radio qu'une compagnie aérienne a pris la décision de faire voyager les enfants non accompagnés dans un espace réservé.

Pourquoi cette décision ? Pour les séparer des adultes ? Elle craint les viols long courrier ?

Quand j'étais petit, j'aimais bien les grandes personnes, elles avaient beaucoup de choses à m'apprendre. Une grande personne m'a donné le goût de la musique classique en me faisant entendre le *Concerto pour violon* de Mendelssohn ; une grande personne, conservateur de musée, m'a donné le goût de la peinture ; un vieux curé, professeur de français, m'a donné le goût de la poésie en me faisant découvrir Prévert. Un garagiste m'a appris à réparer mon vélo tout seul. Grâce à des adultes, ma vie de jeune a été passionnante. Et ils ne m'ont pas violé.

Bientôt, les jeunes n'auront plus cette chance, ils seront séparés des vieux.

Bientôt, dans les trains, les métros, les autobus, il y aura des compartiments réservés aux enfants. On n'est jamais trop prudent, dit l'imbécile.

Et si les enfants demandent pourquoi, qu'est-ce qu'on va leur répondre ? Si on leur dit qu'il faut se méfier des adultes et appeler la police s'il y en a un qui leur sourit, ils vont être terrorisés.

Vous ne croyez pas qu'ils pensent déjà assez de mal de nous ?

Les plus dangereux pour la jeunesse sont les vieux cons.

J'ai eu récemment l'idée d'aller dans un magasin d'électroménager acheter une petite chaîne haute-fidélité pour ma chambre. J'ai choisi un modèle, j'ai voulu l'essayer. Le vendeur m'a demandé quelle musique j'écoutais. J'ai répondu du classique, de la musique de chambre. Quand j'ai dit « musique de chambre », il a eu un petit sourire entendu, il a dit : « Pour une chambre, c'est normal. » Mais vite son visage s'est rembruni, j'ai cru deviner dans ses yeux un éclair d'inquiétude. Il a répété tout bas, comme pour lui, « classique », puis il a repris son sourire commercial. Il a dit « Bien sûr, vous permettez ? » et il a disparu. J'ai entendu un remue-ménage dans le magasin, tout le personnel était sur le coup, tout le monde cherchait.

J'entendais remuer des caisses, des bribes de conversation. « Tu as regardé dans le placard… » « Il est peut-être au-dessus… » « Ça fait longtemps que je ne l'ai pas vu… » « Je ne m'en suis jamais servi… » « On ne me l'a jamais demandé… »

Après cinq bonnes minutes, il est revenu, mal à l'aise. Il m'a confié qu'ils avaient un CD de musique classique, il y a longtemps, mais on ne le retrouvait pas. Il a assuré : « Mais on va le retrouver. »

« En attendant, vous ne voulez pas écouter quelque chose d'autre ? » Il m'a désigné des présentoirs débordant de milliers de disques de variétés. Il m'a proposé un siège en plastique, un café dans un gobelet en plastique aussi, j'ai refusé et il est resté silencieux à mes côtés.

Un vendeur est arrivé avec un CD. Rayonnant, il a ouvert le boîtier. Il était vide.

Je lui ai dit qu'on allait en rester là, je partais. Il a vaguement essayé de me retenir, il m'a regardé m'éloigner, la mine défaite. Il avait perdu son sourire et un client.

Monsieur le directeur, pourquoi n'avez-vous pas dans vos magasins un choix de disques de musique classique ?

À quoi ça sert que Bach, Mozart, Beethoven se soient décarcassés, aient travaillé des nuits entières à la bougie, pour donner un moment de bonheur à l'humanité ?

Vous qui êtes en fin de chaîne, haute-fidélité, vous qui vendez des amplificateurs, qui avez la possibilité de faire entendre leurs œuvres au grand public et d'en faire profiter tout le monde, pourquoi vous ne le faites pas ?

On peut aussi gagner de l'argent en vendant de belles choses.

Pourquoi vous avez dit « Je me mets à votre place » ?

De grâce, restez à votre place. D'abord, je ne veux pas qu'on se mette à ma place, surtout si c'est une place assise. Si vous vous mettez à ma place, je n'aurai plus de place, où je vais me mettre ? À ma place, il n'y a pas de place pour deux. Vous n'allez quand même pas vous mettre sur mes genoux ? Vous avez dit ça par sympathie. J'ai eu des malheurs, vous voulez compatir, partager mon chagrin.

Devant le malheur, on n'est jamais à la même place. Comme au théâtre, il y a ceux qui sont au premier rang, aux places les plus chères, et ceux qui sont derrière.

On ne peut pas être malheureux à la place de quelqu'un.

Imaginez un homme qui s'enlise. Si vous vous mettez à sa place, vous vous enlisez avec lui. Vous voulez le sortir de là ? Restez à votre place, sur la terre ferme, et tendez-lui la main.

De grâce, restez à votre place. Après une plaisanterie sur les aveugles, il y a toujours un bien-voyant mais non comprenant qui s'indigne : « Je me mets à la place des aveugles, ça ne me fait pas rire. » Mais les aveugles ont ri.

Ne vous mettez pas à la place des gens intelligents, vous ne seriez pas à votre place.

Un jour sans vent, le promoteur a regardé la mer.

Elle était basse, elle découvrait des kilomètres carrés de sable. C'était la grande marée.

Il a pensé à toute cette surface inutilisée. Cette place perdue.

Il a pensé à tout ce qu'il pourrait gagner sur la mer.

Il a imaginé des rocades, des tours, des résidences pieds dans l'eau, des avenues à perte de vue, des marinas.

On a perdu la vue sur la mer. Les crevettes

se sont tirées et les coquillages ont été murés vivants dans le béton.

Quand je suis sur le petit morceau de plage qui reste, je vois encore, entre les voitures, un peu la mer. Je ne l'entends plus, j'entends les scooters des mers. Dans « promoteur », il y a « moteur ».

Le promoteur à explosion, il n'est plus là. Il est parti très loin, rechercher la solitude et le silence dans des pays magiques où la mer s'étale sur des plages infinies.

Il regarde la mer, il pense à toute cette surface inutilisée, cette place perdue, à tout ce qu'il pourrait gagner sur la mer…

À force de vouloir gagner sur la mer, on perd la mer.

Pourquoi, à la télévision, les images du bonheur, ce sont souvent des gens qui ont gagné, ou qui vont gagner, beaucoup d'argent ? Un footballeur qui vient de marquer un but, une miss France qui vient d'être élue, ou des gens qui viennent de gagner à un jeu télévisé ?

Ils poussent des cris, ils hurlent de joie, ils trépignent, ils dansent, ils pleurent, ils s'embrassent, ils se roulent par terre, ils étreignent l'animateur.

N'y aurait-il pas sur Terre d'autres raisons d'être heureux ? D'autres images du bonheur ?

Pourquoi vous ne montrez pas des gens

heureux à cause de rien ? Heureux simplement d'être là et de vivre ?

Heureux chaque matin parce que le jour se lève. Heureux parce que c'est le printemps, qu'il y a des bourgeons dans les arbres. Heureux parce que c'est l'été, qu'il fait chaud, que l'eau de la source est fraîche.

Heureux parce que c'est l'automne, que les forêts ont la couleur du feu.

Heureux parce que c'est l'hiver, qu'il fait froid dehors et chaud à l'intérieur.

Heureux parce qu'ils lisent un beau livre, heureux parce qu'ils adorent le bruit du vent, heureux parce qu'ils parlent et qu'ils écoutent les autres.

Heureux parce qu'ils entendent de la musique, heureux parce qu'ils ont fait un beau dessin ou réussi un bon plat, heureux parce que leur parquet brille et leur voiture aussi, heureux parce que leur enfant a eu une bonne note à sa rédaction.

Heureux parce qu'ils ont écrit une belle phrase. Heureux parce que la douleur s'éloigne.

On dit « bêtement heureux ». C'est pas si bête d'être heureux.

Pourquoi se sert-on de plus en plus des guillemets, en faisant un petit geste ridicule avec les doigts ? Avant on les utilisait quand on citait Socrate, Racine ou Baudelaire.

Maintenant on les cite rarement, et les guillemets sont devenus barbelés. Ils nous protègent des mots.

Maintenant, on a peur des mots, peur qu'ils blessent, fassent saigner, et qu'ils fassent des taches sur la page.

D'abord, on a mis entre guillemets seulement les mots dangereux, ceux qui pouvaient mordre. On ouvrait les guillemets, on faisait entrer le mot, et vite on refermait la cage derrière lui avec des guillemets, pour qu'il ne ressorte pas. Comme on fait dans les cirques avec les grands fauves qui entrent sur la piste.

Maintenant, on enferme entre les guillemets même les mots inoffensifs et doux comme les chats.

Comme si on avait peur d'appeler un chat un chat.

Pourquoi il me regarde avec un air arrogant et méfiant ? Je n'ai rien fait de mal.

Quand j'entre dans son champ de vision, j'ai l'impression de traverser un champ de tir. Par peur d'être mis en joue, je presse le pas. Il le voit, il pense « Celui-là n'a pas la conscience tranquille », et il me suit, je cours, il me rattrape.

Je suis un présumé innocent, pourquoi il me regarde comme un présumé coupable ? Pourquoi ces airs de matamore ? Envie de me mettre à mort ?

Je n'ai pas volé la voiture, je suis bien assuré,

je suis resté très courtois, je ne l'ai pas traité de sale flic, il n'y a pas eu outrage à agent, je suis un honnête citoyen, je paie mes impôts, je vote, je n'ai encore tué personne et je ne déteste pas la police. Il devrait être rassuré.

Il ne sourit toujours pas, il a toujours son œil noir.

Qu'est-ce qu'il faudrait pour le voir sourire ? Avoir un cadavre dans mon coffre ?

J'ai compris. Il est déçu. Il traque du gros gibier, je ne l'intéresse pas.

C'est un chasseur de lions qui ne verrait passer que des chatons.

Tu sais que je pense souvent à toi ? Je ne suis pas le seul, nous sommes des milliers à penser à toi chaque jour.

« Est-ce que j'ai fermé la porte d'entrée à double tour ? » « Est-ce que je n'ai pas oublié de mettre le cadenas du garage ? » « Est-ce que je n'ai pas laissé la fenêtre ouverte ? » « Est-ce que j'ai fermé les volets ? » « Qu'est-ce que j'ai fait de mes clés ? » « Tu ne sais pas où sont les clés, c'est toi qui les avais ? – Non, c'est toi. – Non, c'est toi… » À cause de toi, je vais avoir une scène de ménage.

À cause de toi, mes poches sont pleines de

clés. Quand je cours, je fais le bruit d'un cheval avec des grelots.

Cher cambrioleur, tu ne m'as encore rien volé, mais je ne désespère pas, je sais que ça viendra, j'attends. Et l'attente, c'est pire.

Je sais que tu es débordé, fais-moi une faveur, ne tarde pas.

Vole-moi une bonne fois pour toutes, ce sera fait, on n'en parlera plus.

Une fois le travail terminé, aie l'amabilité de prévenir tes confrères.

Qu'ils ne fassent pas le déplacement pour rien.

Vous êtes chez vous, en train de discuter autour d'un verre avec des amis, le sujet vous passionne, la conversation est animée. Soudain, vous vous levez, vous allez allumer votre chaîne haute-fidélité, vous faites taire tout le monde en disant « Je vais vous faire écouter une petite chanson » alors que personne ne vous a rien demandé.

Vous croyez-vous capable d'une telle extravagance ?

Bien sûr que non, ce serait très mal élevé.

Permettez-moi, Monsieur le directeur de la radio, de vous dire que vous faites cela couramment avec vos auditeurs. Si encore vous vous excusiez auprès des interviewés, si vous disiez « Pardonnez-nous de vous couper la parole, mais on est obligé. Il y a là un chanteur qui meurt de faim, qui nous a demandé poliment de passer sa chanson, on ne peut pas refuser, c'est une bonne action »…

Johnny Hallyday ou Florent Pagny ont des fins de mois difficiles, faut les aider.

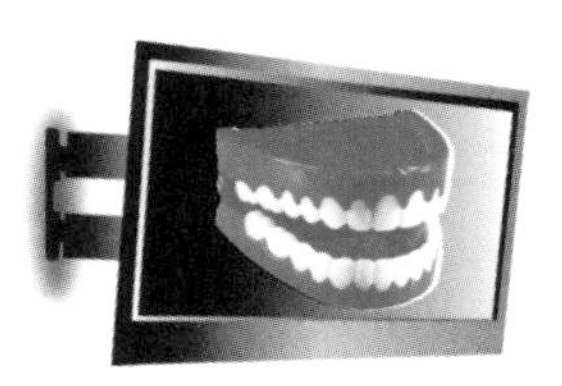

Je le regarde sur un téléviseur, mais je ne l'entends pas. Il y a trop de bruit autour, je suis dans un bistrot où je noie mon chagrin.

Ce qu'il dit doit être très drôle, parce qu'il rit beaucoup.

Il rit trop. Un vrai humoriste ne rit pas, il fait rire. Le public, qui n'est pas aussi bête qu'il le pense, n'a plus besoin de rire si l'humoriste a ri avant lui. En riant, il commet une faute professionnelle.

J'admire plus que tout les gens qui me font rire. Ils ont souvent l'air triste, inquiet, timide, ils ne sont pas sûrs d'eux, ils semblent se demander ce qu'ils font là, devant tous ces gens qui les regardent, on a l'impression parfois qu'ils ont peur et qu'ils aimeraient bien se sauver.

S'ils plaisantent, ce n'est pas parce qu'ils sont heureux, c'est justement parce qu'ils ne le sont pas et qu'ils voudraient bien l'être.

Lui est heureux, trop heureux ; content, trop content de lui, pas d'inquiétude. Il sait qu'il est irrésistible et plein d'esprit, il sait que, dès qu'il va ouvrir la bouche, même pour ne rien dire, tout le monde va se mettre à rire. Parce qu'il est très rigolo.

L'animateur de télévision qui force le public à applaudir ses plaisanteries foireuses ne lui rend pas service.

Imaginez qu'un jour le public ne rie plus. Peut-être qu'il va se poser des questions. Il va être désemparé, très malheureux, tellement triste qu'il va avoir envie de se détruire.

Peut-être qu'il va enfin devenir drôle.

Il est assis dans sa voiture, il discute avec un passant depuis un quart d'heure, et son moteur tourne.

Vous savez bien que le moteur de votre auto empoisonne l'air que respirent vos enfants. Quand il sert à vous transporter, on lui pardonne à votre moteur. Mais là ? Pourquoi il tourne ? Pour l'ambiance ? Il tourne pour rien et les gaz d'échappement montent vers le ciel. Est-ce que vous pensez quelquefois aux oiseaux et à leurs petits poumons ?

C'est bientôt l'ouverture de la chasse, vous allez tuer quelques oiseaux, vous allez les manger. Vous avez envie de manger des oiseaux qui ont les poumons noirs ? Vous devez vous dire : « C'est pas un moteur de plus ou de moins qui va changer. » Mais si tous les imbéciles du monde pensent comme vous, ce ne sera pas un moteur de plus mais des milliards de moteurs qui tourneront pour rien, des tonnes de CO_2 qui vont empoisonner l'air.

Et puis, il y a le bruit. Ça ne vous gêne pas, le bruit du moteur, pour votre conversation ?

Et puis, est-ce que vous pensez à votre moteur ? Ce n'est pas bon, pour un moteur, de tourner à l'arrêt ; il chauffe, il ne se refroidit pas, il va s'encrasser.

Si vous vous foutez de la qualité de l'air, de la pollution, des poumons des oiseaux, de la santé de vos enfants, ne vous foutez pas de la santé de votre moteur.

Alors, s'il vous plaît, coupez-le quand vous êtes à l'arrêt.

Le mot « improbable » m'agace. On l'utilise beaucoup, probablement quand on n'a rien à dire et qu'on ne sait pas quoi dire d'autre. Peut-être pour faire poétique ?

Sous la plume de ceux qui n'ont pas trouvé le mot juste, les paysages, les plages, la banlieue, la campagne, les rencontres... tout devient improbable.

« Improbable » est un mot qui se cuisine à toutes les sauces, il n'a pas de goût, c'est une sorte d'excipient, un peu comme les bettes. Dans les bettes, ce qui est bon, c'est la sauce.

Quand vous avez envie de dire improbable, retenez-vous, faites à la place une seconde de silence.

Quand je pense à tous les jolis mots qui veulent dire quelque chose, qu'on ne sort jamais, à qui on ne fait pas prendre l'air, qui s'ennuient et finissent par moisir dans les dictionnaires, simplement parce qu'ils ne sont pas à la mode.

Je pense à ineffable…

À la belle époque, on buvait son vin dans de jolis verres, ils étaient en verre, certains en cristal, ils étaient parfois gravés, à travers on voyait la couleur du vin. C'était beau. Maintenant, on boit dans des gobelets en carton ou en plastique, c'est plus hygiénique. Le verre va bientôt disparaître des bistrots et le mot « verre » disparaître du dictionnaire. Au lieu de dire verre ballon, flûte, coupe, on va dire gobelet.

Avant, on buvait du café dans des tasses, il y en avait en faïence, d'autres en porcelaine fine. Certaines avaient des fleurs peintes, c'était beau. Maintenant, on boit du café dans des gobelets en carton. Parce que c'est plus hygiénique. Les gobelets, on ne les lave pas, on les jette à la poubelle. Quand on lavait les verres, il restait des microbes. Avec les gobelets, le problème des microbes est réglé. Le café n'est pas dangereux à boire, il est seulement tiède et mauvais, on a envie de le jeter à la poubelle avec le gobelet. L'important, c'est qu'il ne rende pas malade. Sinon, le client pourrait attaquer en justice le cabaretier.

Le cabaretier a le droit de faire du mauvais café.

Le mauvais café, c'est légal.

À notre époque, on peut de moins en moins ouvrir les fenêtres. Dans les grandes tours de verre, il n'y a plus de fenêtres, l'air n'est plus naturel, on respire de l'air conditionné, et on ne peut même plus s'envoler en se jetant dans le ciel.

Dans un autobus, s'il y a un litige entre les voyageurs à propos de l'ouverture d'une fenêtre, on donne la priorité à celui qui veut la fermer. Pourquoi la priorité au frileux ? Parce que dans l'air il y a des microbes, dehors il y a des bandits. Il vaut mieux rester chez soi, enfermé devant la télé.

E pericoloso sporgersi, c'était écrit en dessous des fenêtres des trains. Il est dangereux de se pencher. Dans les TGV, la question ne se pose plus, on ne peut plus ouvrir les fenêtres.

Maintenant, on ne peut même plus jeter des cannettes de bière sur les braves cheminots qui réparent les voies. On ne peut plus se pencher pour faire des signes d'amitié aux vaches.

On n'aime pas ceux qui l'ouvrent, on préfère ceux qui la ferment.

Pourquoi il annonce avec un grand sourire qu'aujourd'hui il va encore faire une très belle journée et qu'il ne va pas pleuvoir, alors que depuis un mois il fait sec, que dans les champs c'est bientôt le Sahel ? Il croit que c'est une belle journée pour les salades qui meurent de soif, les blés desséchés qui piquent du nez et les épis qui ont la pépie ?

La belle journée pour la salade, pour tous les légumes, les fleurs, les plantes et aussi le cultivateur, ce serait une journée avec de la pluie. Les légumes doivent détester son sourire de camelot. Il va se faire haïr par les cultivateurs, ils sont costauds et ils ont des fourches.

On a souvent l'impression qu'il fait la météo pour les vacanciers, ceux qui veulent bronzer. Qu'il ne pense pas aux travailleurs, travailleuses…

À la différence de la laitue, Monsieur Météo n'a pas de cœur.

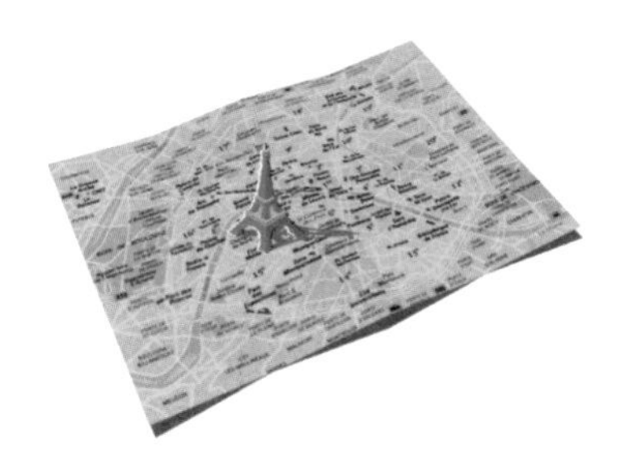

Depuis un moment, je suis perdu. Je cherche une rue qui ne doit pas exister. J'ai essayé de demander à des passants, beaucoup ont un casque sur les oreilles, ils ne m'entendent pas, je n'ai pas insisté.

J'ai enfin trouvé un passant sans casque, je lui ai demandé mon chemin. Il s'est excusé et m'a dit avec un beau sourire : « Je ne suis pas du quartier. » J'ai continué à marcher. J'ai croisé un autre passant, il n'était pas du quartier, puis un troisième, un quatrième, ils n'étaient pas du quartier. C'est inouï le nombre de passants qu'on peut croiser dans un quartier et qui ne sont pas du quartier. Je me demande s'ils disent la vérité, s'ils ne disent pas ça pour être tranquilles et parce qu'ils n'ont pas envie de perdre leur temps à vous expliquer le chemin.

J'étais de plus en plus nerveux, j'allais être en retard à mon rendez-vous. Au dixième passant qui m'a fait un grand sourire en s'excusant de ne pas être du quartier, j'ai cru qu'il se moquait de moi, j'ai explosé, je suis devenu fou, je l'ai engueulé : « Qu'est-ce que vous faites là, alors ? Si ce n'est pas votre quartier, vous n'avez rien à y faire. Retournez dans votre quartier ! »

Il ne m'a pas répondu. Il s'est approché de moi.

J'ai un œil au beurre noir et le nez qui saigne.

Monsieur le ministre de la Santé, je viens d'apprendre grâce à un de vos messages à la radio qu'il faisait très froid dehors, qu'il fallait faire attention à ne pas attraper froid, qu'il fallait mettre des vêtements chauds et que le mieux serait de rester à l'intérieur.

C'est gentil, Monsieur le ministre, de penser aux vieux, souvent ils n'ont plus leur tête et ils seraient bien capables de sortir dehors torse nu et d'attraper la mort.

L'été, quand il fait très chaud, vous nous dites qu'il faut boire des boissons fraîches, nous mettre à l'ombre, utiliser un ventilateur, surtout quand on est vieux. C'est gentil, Monsieur le ministre, de penser aux vieux, parce que quand on est vieux, on ne pense plus et on serait bien capable de se mettre torse nu au soleil quand il fait 50 degrés.

Vous devriez aussi, Monsieur le ministre, prévenir les vieux quand il pleut, qu'ils ne sortent pas parce qu'ils vont être mouillés, ou alors qu'ils mettent un imperméable et prennent un parapluie, des choses auxquelles on ne penserait pas quand on est vieux. Parce que, quand on est vieux, on ne pense plus.

Heureusement vous pensez à nous, vous pensez pour nous.

Vous nous rajeunissez, grâce à vous nous nous retrouvons à l'école maternelle.

Pourquoi vous nous prenez pour des cons, Monsieur le ministre ?

Je suis dans le TGV. Je reviens d'une fête du livre, près d'Angoulême. Je devais être à Paris dans deux heures.

C'était compter sans vous. Vous vous êtes jeté d'un pont et, comme vous deviez vous y attendre, notre train vous a écrasé.

Le train est arrivé avec cinq heures de retard. J'étais à quatre heures du matin dans un Paris désert, sans taxi, exténué.

Je suis sûr que vous aviez de bonnes raisons de vouloir en finir. Les impôts vont augmenter, votre femme vous a quitté, votre patron est ignoble, vous avez reçu ce matin une contravention pour mauvais stationnement et, pour tout arranger, il pleut. Pourquoi avez-vous choisi le TGV pour vous faire déchiqueter ? Parce que ça va plus vite, pour souffrir moins longtemps ?

Vous étiez pressé d'en finir, nous on était pressés d'arriver.

Dans le TGV, il y a beaucoup de gens pressés, sinon ils circuleraient à vélo. Ils sont pressés d'arriver à leur travail, ils ont des entretiens d'embauche ou, simplement, ils veulent embrasser leurs enfants. Vous comprendrez que nous, les braves voyageurs qui sommes restés plusieurs heures en rase campagne à cause de vous, ne soyons pas ravis.

Pourquoi n'avoir pas choisi, pour vous faire déchiqueter, un train de marchandises ?

Pour échapper au musicien du métro, au karcher de ma voisine, aux conseils du ministre de la Santé, au serveur vocal, aux mites, aux moustiques, aux humoristes qui ne font pas rire, aux guillemets, au mauvais café, aux pigeons…

Je vais choisir le train de marchandises.

Table

Les mites.. 11
Le soleil... 13
Les moustiques.. 15
Les pigeons.. 17
La clé à sardines.. 19
La poubelle à roulettes.............................. 21
Le souffleur de feuilles.............................. 23
L'anticyclone des Açores........................... 27
La presse people.. 29
Le scooter des mers.................................... 31
Les questions « bateau »............................ 33
Le papier de la fleuriste............................. 35
Le chien abandonné.................................... 37
Le paparazzo d'oiseaux.............................. 39
Le serveur vocal... 41
L'imprimeur malhonnête............................ 45
Le musicien du métro................................. 47
Le mauvais croissant.................................. 49

Les routiers jaloux 51
Le pare-brise décoré 55
Le ministre de la Santé (1) 59
Les gens heureux 63
Le palmarès des hôpitaux 65
La joueuse de karcher 67
Le principe de précaution 69
Le micro-trottoir 71
Le bonjour de la caissière 73
La thalassothérapie 75
La déclaration d'impôt 79
Les jeunes et les vieux 81
La musique de chambre 83
La place de l'autre 87
Le promoteur 89
Le bonheur à la télévision 91
Les guillemets 93
Le policier arrogant 95
Le cambrioleur 97
La pause musicale 99
L'humoriste 101
Le moteur qui tourne 103
Le mot « improbable » 105
Le gobelet en carton 107
L'ouverture interdite 109
La belle journée 111
Le « pas du quartier » 113
Le ministre de la Santé (2) 115
Le désespéré pressé 117

Du même auteur :

GRAMMAIRE FRANÇAISE ET IMPERTINENTE, Payot, 1992.
ARITHMÉTIQUE APPLIQUÉE ET IMPERTINENTE, Payot, 1993.
LE PENSE-BÊTES DE SAINT FRANÇOIS D'ASSISE, Payot, 1994.
LE C.V. DE DIEU, Seuil, 1995.
PEINTURE À L'HUILE ET AU VINAIGRE, Payot, 1994.
LE PAIN DES FRANÇAIS, Seuil, 1996.
SCIENCES NATURELLES ET IMPERTINENTES, Payot, 1996.
JE VAIS T'APPRENDRE LA POLITESSE, P'TIT CON, Payot, 1998.
IL A JAMAIS TUÉ PERSONNE, MON PAPA, Stock, 1999.
LA NOIRAUDE, Stock, 1999.
ROULEZ JEUNESSE, Payot, 2000.
ENCORE LA NOIRAUDE, Stock, 2000.
J'IRAI PAS EN ENFER, Stock, 2001.
PAS FOLLE LA NOIRAUDE, Stock, 2001.

MOUCHONS NOS MORVEUX, Lattès, 2002.
LE PETIT MEAULNES, Stock, 2003.
ANTIVOL, L'OISEAU QUI A LE VERTIGE, Stock, 2003.
LES MOTS DES RICHES, LES MOTS DES PAUVRES, Anne Carrière, 2004.
SATANÉ DIEU !, Stock, 2005.
MON DERNIER CHEVEU NOIR, Anne Carrière, 2006.
ORGANISMES GENTIMENT MODIFIÉS, Payot, 2006.
À MA DERNIÈRE CIGARETTE, Hoëbeke, 2007.
HISTOIRES POUR DISTRAIRE MA PSY, Anne Carrière, 2007.
OÙ ON VA, PAPA ?, Stock, 2008.
POÈTE ET PAYSAN, Stock, 2010.
VEUF, Stock, 2011.
LA SERVANTE DU SEIGNEUR, Stock, 2013.
TROP, La Différence, 2014.
MA MÈRE DU NORD, Stock, 2015.

Composition réalisée par NORD COMPO

Achevé d'imprimer en juillet 2016 en Espagne
par UNIGRAF
Dépôt légal 1re publication : septembre 2016
LIBRAIRIE GÉNÉRALE FRANÇAISE
21, rue du Montparnasse – 75298 Paris Cedex 06

13/0006/2